Das Buch

Natürlich könnte man anhand dieser unfreiwillig komischen Verlautbarungen eine sprachkritische Studie, eine Stilkunde mit negativen Beispielen schreiben. Aber das hieße denn doch, den Spaß an diesen herrlichen Stilblüten unnötig einzuschränken. Sie sprechen ohnehin für sich. Aus einer Fülle von amtlichen Schreiben, aus Polizeiberichten, Schulaufsätzen, privaten Briefen und Leserzuschriften haben die Herausgeber in jahrelanger Sammlerarbeit die lustigsten sprachlichen und gedanklichen Kurzschlüsse herausgesucht. Eine Pointe ist schöner als die andere. Hier nur ein Beispiel: »Ich bitte das turmhohe Gericht, mir meinen Mann auf dem Gnadenwege zu erlassen. Er ist mein einziger Mann.« Karl Valentin läßt grüßen.

Die Herausgeber

Emil Waas, geboren am 27. 11. 1919, ist Graphiker und Inhaber einer Werbeagentur in Heidelberg.
Weitere Veröffentlichungen: ›Kuckucksuhr mit Wachtel‹ (1967, dtv-Band 448), ›Erwarte Näheres unter vier Buchstaben‹ (1969, dtv-Band 569), ›Heiteres Schilder-Sammelsurium‹ (1972), ›Als Opas Bart sich vor Erstaunen kringelte‹ (1973), ›Spaß im Schilderwald‹ (1975), ›Der große Stilblüten-Spaß‹ (1976).
Margit Waas, Jahrgang 1957, ist die Tochter von Emil Waas. Wie bei der vorliegenden Sammlung ist sie auch Mitherausgeberin des Bandes ›Sehr geehrter Herr Firma!‹ (1976, dtv-Band 1160).

Es fängt damit an,
daß am Ende der Punkt fehlt
Stilblüten aus amtlichen
und privaten Schreiben

Herausgegeben von Margit und Emil Waas

Deutscher
Taschenbuch
Verlag

Originalausgabe
1. Auflage Dezember 1973
12. Auflage März 1977: 264. bis 313. Tausend
© Deutscher Taschenbuch Verlag GmbH & Co. KG,
München
Umschlaggestaltung: Celestino Piatti
Gesamtherstellung: C. H. Beck'sche Buchdruckerei,
Nördlingen
Printed in Germany · ISBN 3-423-00962-4

Sehr geehrter Herr Pfarrer!

Wie Sie wissen, habe ich eine Witwe geheiratet mit einer zwanzigjährigen Tochter. Die hat dann mein Vater geheiratet. Mein Vater wurde also mein Schwiegersohn, meine Stieftochter meine Mutter. Als meine Frau den Jungen kriegte, war das der Schwager meines Vaters und gleichzeitig mein Onkel (als Bruder meiner Stiefmutter). Nun hat meine Stiefmutter, die ja zugleich meine Stieftochter ist, vorgestern ebenfalls einen Jungen bekommen, und der ist nun also sowohl mein Bruder als auch mein Onkel!

Ich selbst aber bin der Mann meiner Frau und ihr Enkel (als Sohn ihres Schwiegersohnes). Meine Frau ist meine Großmutter (als die Mutter meiner Stiefmutter). Und da der Mann meiner Großmutter mein Großvater ist, bin ich nun mein eigener Großvater.

Bitte, wann kann ich einmal bei Ihnen vorbeikommen?

Postkarte genügt.

Markus Pfeiffer
Sandgasse 12

JACHTHAVEN DE BONTE KOE
TELEFOON 0 25 34-227
POST ABBENES
KAAG EILAND HOLLAND

Sehr geehrter Herr Diehl!

Auf unsere verschiedenen
Briefe, Ihre Schulden
in Höhe von DM 1.789,--
betreffend, haben Sie
nicht geantwortet !!
Also selbst die Antwort
bleiben Sie uns noch
schuldig !!!

Mit kollegialem Gruß

i.A. Pritzly

Beim Betrachten eines Düngerhaufens

Er ist der Schatz und das
Kleinod des Bauern, die
breiteste Grundlage
für die Landwirtschaft
und somit ein Faktor
der Staatserhaltung
und eine sichere Stütze
und ein weiches Ruhe-
bett des Thrones und
der bestehenden
Ordnung.

DRINGEND

26.5.1928

Leumundszeugnis

Der Heinrich <u>Linse</u> ist seiner
Bildung entsprechend ein
dummer Mensch. Müterlicher-
seits ist ihm nichts nachzu-
sagen, väterlicherseits aber
sauft er. Leumund hat er fast
gar keinen mehr. Er macht
zunächst einen ungünstigen
Eindruck, verliert aber bei
näherer Bekanntschaft.

Liebe Mutter!

Heute war die Suppe
versalzen, daß Michael sie
nicht essen konnte, das
Fleisch war angebrannt
und das Gemüse ist mir
ins Feuer gefallen —
und das nennt man nun
einen Sparherd!
Bis zum nächsten Mal

Deine

Babs

Firma Günlich   Hamburg
                Postfach 1150

    An die Günlichs Seifen-
werke G. m. b. H.

            Dankschreiben
    _____

Ihre Seife kann ich

bestens empfehlen.

Meine Kinder sind ~~~~

nicht wiederzuerkennen

        Anny Wolfe

        3. Juni 1929

        Erledigt
WeE. B. fol. 442/a
    4. Juni 1929

29.1.1908

An die „Neuesten Nachrichten"
Abteilung: Briefkasten.

Habe eine Wette gemacht. Frage
an: Wie heißt unser Deutscher
Kaiser mit Nachnamen,
heißt er Rex?
Hoffentlich habe ich die Wette
gewonnen!

Ludwig Bräus
Hierselbst, Märzgasse 12

Antwort: Nein! Der volle
Titel lautet: Wilhelm II. (von Hohen-
zollern), Kaiser von Deutschland und
König von Preußen. Die Bezeichnung
rex bedeutet König (von Preußen), was
in obigem Titel enthalten ist.

An den Gemeinderat
in Löbenau

Nachdem der Unterzeichnete
durch seine demnächstige
Verheiratung mit der
Güterstochter Barbara
Socker von hier ein schönes
Stück Rindvieh herein=
bekommt, bittet derselbe
um Erweiterung seines
Ziegenstalles für die
erheiratete Kuh.

Luitpolt Böhme
Ortspolizist

▲ 4. Juni 1929

875/96

Erledigt

An das Amt
für Wohnungen!

Ich bin seit 5 Monaten
verheiratet und meine
Frau ist in anderen
Umständen. Ich frage
hiermit das Wohnungs-
amt: muß das
so sein?

G. Haußmann

Untere Straße 96,
Hinterhaus, IV.

die Fliegen mit.
(11.) nimmer die
hat den längsten ...
längste Gras. — Non
Juni weht Korn ins ...
kalt und naß der Juni gar, ...
dirbt er, was voll Hoffnung war.

1.
2. Liebe Babette
3.
4. Es waren nur 13 Eier
5.
6.
7. im Hühnerstall.
8.
9.
10. Die Unglückszahl !!!
11.
12. jetzlich mir auch klar
13.
14. warum nicht mehr drin
15.
16.
17. waren. Deine Friederike
18.
19.
20.
21. Bin bei den Ruben
22.
23.
24.
25.
26.
27.
28.
29.
30.

Sehr geehrter Herr Doktor!

Sie sagten mir mehrfach
während meiner Behandlung
in den letzten Wochen,
ich solle mich vor allen
heftigen Gemütsbewegungen
hüten – und dann
schicken Sie mir solch
eine Rechnung!

In heftigster Gemüts-
bewegung
Oskar (Stüfle)

Sehr geehrter Herr Notar!

Bitte machen Sie folgenden Zusatz zu meinem Testament:

Ich mag nichts wissen von der Neuerung der Leichenverbrennung. Ich will einmal begraben sein, wie ich's von Jugend an gewohnt bin.

Ida Großmann

16. 12. 1911

An die Beamten des
Schatzamtes in
New York

Ich habe einst die Vereinigten Staaten um
Zoll auf goldene Uhren
im Betrag von
50 Dollars gebracht.
Da mein Gewissen onün
schlägt, schicke ich
5 Dollars. Sobald es
wieder schlägt, werden
Sie weiter von mir
hören.

Mister X

Freitag Mai 1901

Liebe Hildegard!

Mein Schicksal ist be-
klagenswert, aber
Tränen können ihn
nicht mehr zum Leben
zurückrufen.

Darum weine ich.

Edelgard.

217 BONN 7/3 1945 =

Uhrzeit

7   20   08   oBOLL POSTFACH. NEUENHEIM/1

fangen

Namenszeichen

D   _Weberstr. 10_

lberg

von

BONN D

LIEBE INGE, GRENZENLOSES PECH-

FRITZ HAT SICH NUN IN DIESEM JAHR DAS

DRITTE BEIN GEBROCHEN

KOMME BALD=DEINE AGNES

COL 1827 1 +

enstliche Rückfragen

Fix 12 000 7.66
DIN A 5 / 100 Bl., Kl. 30 a

Titl. Wohllöblichen
Ministerium.

Von der Regierungsbank
hören wir auch nichts;
nur ein tiefes Schweigen!
Lebt der Herr Reichs-
kanzler noch? Und
wenn ja, was gedenkt
er dagegen zu tun?

Ein treuer Patriot.

1. Juli 1909.

Meine Trautholde!

Wie wäre es mit einem Zerknalltreiblings=
zweiradausflug am Sonntag, dem 28.
Lenzing 1938? Hoffentlich gibt Dich Dein
Pflanzherr frei und hält Dich wegen
Sippenthings anläßlich des Wiegenfestes
Deiner Urpflanzmutter nicht daheim fest.
Es gibt keinen schöneren Genuß mit Dir,
Kraftradhintersassin, als jetzt im Lenz.
Bitte, bringe Du Deine Strahlenfalle mit,
dann besorge ich eine Kofferkrach wort-
mühle, damit wir bei der Freiluftmahl=
zeit die große Furtwänglertönerei und
die Wiedergabe von dem Faustkämpfer=
wettstreit hören können. Und ziehe bitte
Deine zweigeteilte Lenztracht an, in
der Dein Hüftengpaß so gut zum
Ausdruck kommt. Vergiß auch nicht,
am Zeitungsheim den Fußballspieler=
ergebniswettrateschein zu holen.
Und, bitte, rauche bis zum Sonntag
nicht mehr so viele Langstäbchen
und trinke keine so starke Schwarz-
brühe, sonst bist Du wieder so
wirrsalig. Auf bald!

Dein Trautholdester!

Bitte

Ich Unterzeichneter
habe dem
Matheus Bigeser
schlechter Tropf ge-
sagt, das ist
wahr und das
ich ~~ihn~~ diesen
Ausdruck zurück-
nehmen muß,
tut mir leid!

Rolf Weber

Betten-Spezialgeschäft L. Hippius

Heugasse 2   **Heidelberg**   **Telefon 1694**

Sehr geehrtes Brautpaar,

das gewünschte Ehebett „Adonis"
kostet 100,- Mark. Auf Abzahlung
kostet es 200,- Mark, davon
ist dann die Hälfte
sofort anzuzahlen.

Mit der Bitte um geneigte
Berücksichtigung unseres Anerbietens
verharren wir
mit ausgezeichneter Hochachtung

Hippius

Samstag, 27. 10. 1928

Karl H. Lyrma
4 Düsseldorf   Berliner Allee 4

An die
Düsseldorfer Nachrichten
Chiffre 12/12 50
Düsseldorf
Königs allee

Sehr geehrter Herr,
auf Ihre Anzeige teile
ich Ihnen mit, daß ich
für meine Schwieger-
mutter ein verträgliches
Heim suche, wo sie
sich mit Gas
selbst kochen kann.
K. H. Lyrma

Notabene:

Es ist wirklich traurig; heutzutage will alles auf die Universität und jeder fühlt sich berufen, Medizin zu studieren. Zu meiner Zeit war das ganz anders!! Da studierte nicht jeder Schafskopf. In meiner Heimatstadt war ich der einzige.

Dr. *(Unterschrift)*

Sehr geehrtes Fräulein!

Wenn Sie noch einmal mein Friedchen schlagen, dann schicke ich Ihnen meinen Mann auf den Hals und dann sind Sie die längste Zeit Fräulein gewesen.

Frau Barbara Jung

Entschuldigung

Unsere Tochter
Elfriede durfte
gestern nicht in
die Schule gehen.
Sie lag im Bett
und schwitzte. Mit
Hochachtung.

Frau Siedlopitalski

An die
Bezirkssparkasse.

Sehr geehrte Herren!
Mein Hund hat das
Sparbuch Nr. 1006584
aufgefressen. Da ich
den Hund nicht
öffnen kann, möchte
ich lieber ein
neues Sparbuch.
Mit der Bitte um ge=
neigte Berücksichtigung
meines Wunsches ver=
harre ich mit ausge=
zeichneter Hochachtung
als dankbarster
Anton Helm,
Schieferdecker

Notizen

Anzeigenannahme
Tageblatt
28. März 1930

über ~~telefonisch~~ / persönlich geführtes Gespräch

mit ~~Herrn~~
~~Frau~~ August Schultze
~~Fräulein~~
der ~~Firma~~ Berliner Straße 60

in 5. Hof, Quergebäude

4 Treppen

In Ausgabe 209 soll folgender
Test erscheinen:

> Hierdurch erkläre ich, daß
> ich mit dem geköpften Raub=
> mörder August Schultze
> nicht verwandt bin.
> August Schultze
> Berliner Straße 60
> 5. Hof, Quergebäude, 4 Treppen

Letzte Autor-Korrektur

einspaltig
4,0 cm hoch
2 mm fetter Rand
Rahmen direkt

Datum	28.3.1930
Uhrzeit	11 15
Ruf-Nr.	ohne

Gespräch angenommen   bearbeitet

Sch.   **Bezahlt** 28. März 1930

12. Aug. 1922

Widerruf!

Die über Herrn Möschl gemachte Äusserung, daß er jeden Abend betrunken nach Hause Käme, nehme ich hierdurch bis auf die Sonn= und Feiertage reue- voll zurück.

Ignaz Bohleter

Vom 12. August bis 15. August
zum öffentlichen Aushang
genehmigt und bestätigt.

Der Ratschreiber

GEMEINDE OSTRINGEN

Geb. 60 ₰

An das Einwohnermelde"
Amt
<u>Dahier</u>

Ich möchte eine dringende
Wohnung nachgewiesen
haben, da ich einen
großen Drang, der
mich zum Heiraten
berechtigt, verspüre.

Richard Veitengruber
Almweg 2

26. MAI 1972

Bender

KARTEI NOTIERT

DETEKTIV-BÜRO

Georg Nicolaus

6900 HEIDELBERG

Berliner Straße 101 · Ruf 42548

Bankk.: Bezirkssparkasse Heidelberg 98280
Volksbank Neckargemünd 1818

Eingegangen am 25.7.6

Erledigt am 2.9.66

V. Schied 1039310

A u s k u n f t
==============

Wie schlecht die Verhältnisse
des Altern, Otto sind, ist schon
daraus zu ersehen, daß ihm der
Gerichtsvollzieher am 1.12. 1965
das letzte schmutzige Hemd aus
der Nase ziehen mußte.

(Stempel)

Privat-Detektiv
Georg Nicolaus
6900 Heidelberg
Telefon 42548

Unterschrift des Detektivs

Sehr geehrter Herr!

Wem habe ich alle Freund=
lichkeit erwiesen? Ihnen
Wer hat mich um 100 Mark
angepumpt? Sie! Wer
wollte die mir am Ersten
zurückzahlen? Sie! Wer
hat das Geld am Ersten
nicht gebracht? Sie!
Wer ist ein Gauner,
ein Lügner, ein Betrüger?

Ihr
ergebener Chr. Mills

Höfliche Anfragen
an das Katholische
Pfarramt
des Otto Hauss, geb. 27. ... 19

12. Sep. 1936

1.) Helfen Sie mir bitte, bei
der Auffindung meiner
großmutter; sie muß sich
in dem dortigen Kirchen-
buch befinden.
Nähere Angaben kann
ich nicht machen, da
meine Mutter schon 1924
starb und mich als
einziges Vermächtnis
hinterließ.

2.) Sodann bitte ich um
Auskunft, ob in den dorti=
gen Sterberegistern mein
toter Großvater erscheint.
Er starb von 1921 bis 1940.

3.) Schicken Sie mir bitte die
Papiere meines Großvaters,
die dieser nach seinem Tod
ausgestellt erhielt.

Die Geburt meines Sohnes
melde ich hiermit schrift-
lich an, da meine Frau
bettlägrig, das Kind
noch zu klein und ich
der Bediente des beiden
bin

Hochachtungsvoll

Paul Offen

An das
hiesige
Standesamt
Hier

Titel
Hochwöhl.
Wohlfahrtsamt

Daselbst

Bitte:
Haben Sie doch die Freund-
lichkeit, meiner Frau mit
einer Hose unter die Arme
zu greifen.
Und:
Meine Frau Emma schläft
auf dem Korridor unter der
Gasuhr. Diese erwartet in
2 Monaten 1 Kind.

Bitte um Prüfung!

Anton Wüdig

Wrangelplatz 12, Hinterhof

11. Juli 1932
Sachlich richtig
und festgestellt

Biologie

Lehrsatz:

Wenn wir den
Frosch in Hinsicht auf seinen
Schwanz betrachten, so bemerken
wir, daß er
keinen hat.

1. 11. 1961

Sehr geehrtes
Fräulein Lehrer —

Der Klecks in dem
Heft meiner Tochter
bin ich in höchst=
eigener Person Selbst
gewesen.

Gerhard Keyer
Eltern

Eingegangen am 29.5.11

Erledigt am 18.7.11

zu AV/I a

Meldung an die
Polizeistelle 2
in
Wieblingen

Die Unfallzeugen
sind der Meldung
beigeheftet.
Müller

Der andere Wagen fuhr auf meinen
zu, hat mir aber vorher seine
Absicht nicht im Geringsten
angezeigt. Daraufhin machte ich
dem anderen Idioten meine
Meinung klar.

Mit hochachtungsvollen
Grüßen

der Finanzkasse

Hier

Sehr geehrte Herren,
ich teile Ihnen hier=
durch mit, daß ich mich
nach reiflicher Über=
legung entschlossen
habe, der Einkommen-
steuer nicht
beizutreten.

Hochachtungsvoll

Emil Ludwig Zwer

Öffentliche Bekanntmachung
für
Stellwerk VI.

Der Hilfsbetriebsassistent
Ludwig H u b e r
wird in eine Geldstrafe
von
2 Mark
genommen, weil er statt um
6 Uhr um 8 Uhr betrunken
zum Dienst erschienen ist.

Der Bahnhofvorsteher

Josef Läufenber

OBERRHEINISCHE EISENBAHN-GESELLSCHAFT A.-G.

An die
Polizei
hier

Ihr Schreiben habe ich
erhalten. Wenn ich
Herren Brunner einen
Orang-Utan ge-
nannt habe, liegt es
mir fern, diesen zu
beleidigen

Johann Most II.

Herrn
Charles Brown
Square Hollywood
Los Angeles

Lieber Onkel!
Ich freue mich sehr, daß
Du endlich wieder
in die Heimat zurück-
kommst, denn Mutti
sagt, ich sähe Dir
ungeheuer ähnlich.
Bis bald!
Dein Bubi

An das
hochwohllöbliche
Amtsgericht

Ich bitte das turmhohe Gericht,
mir meinen Mann auf dem
Gnadenwege zu erlassen.
Er ist mein einziger Mann.

Frau
Anna Dorn

Erledigt 12.65

[Unterschrift]

An das
Bürgermeisteramt

Senden Sie mir
bitte meine Geburt.
Zweck ist die
Eheschließung.

Otto Ravens

Herrn
Otto Mertens

Sehr geehrter Herr Haus-
besitzer!

Frau Grauert läßt immer
mit donnerndem Getöse
das Wasser ablaufen.
Bitte dringendst, baldigst
Abhilfe zu schaffen, weil
mir das die Ruhe raubt
und dazu bin ich doch
berechtigt.

Mit
Hochachtungsvollst
Frau Tönisvorst

An
das Zweite Deutsche Fernsehen
6500 Mainz

Sehr geehrte Herren!
Herzlichen Dank für die
gestrige Wettervorhersage.
Wir waren gerade dabei,
die 60 Zentimeter "heiter bis
wolkig", die Sie für heute
angekündigt hatten, aus
meinem Keller zu pumpen.
Hochachtungsvoll
Lisa Beck

Entschuldigungs
zettel

Hierdurch wird
bescheinigt, daß mein
Sohn Richard den
Dreißigjährigen Krieg
verloren hat. Er wird
aber sofort einen
neuen beginnen,
sobald als er aus
der Schule daheim
ist.

Richards

Mutter

An das
Heinsteinwerk

Der Ofensetzer, der meine
Heizung repariert hat,
soll einmal im Winter
bei mir schlafen, damit
er sicht, wie kalt es
nach wie vor für mich
als Frau ist.

Gisela Baumann

Herrn
Otto Melp, Hausbesitzer
Hier

Sehr geehrter Herr Melp,

der Abort in unserem
Haus ist baufällig!
Wenn ich mich auf ihn
setze, bin ich mit
Lebensgefahr ver=
bunden!!

Hochachtungsvollst

Otto Mayer

An die
Heidelberger Nachrichten
Offerten Nummer P 8407

Sehr geehrter Herr Studiosus!

Kann Ihnen gut möbliertes,
neu tapeziertes Zimmer mit
Zubehör offerieren, 2 Treppen,
mit Waschgelegenheit. Kaffee und
evtl. Abendbrot werden serviert.
Universität im Hause.

J. Clef

Hausmeister der Universität
Heidelberg

Sehr geehrtes Elektrizitätswerk!

In Ihrem Schreiben vom 13. Juli haben Sie glatt bekundet, was Sie wollen! Sie wollen also Geld von einem Mann, der nichts hat! Hätte ich keine Nerven, so wäre ich schon längst ein Narr vor lauter Strom und Überlandwerk! Wenn ich diese beiden Worte höre, löschen sie bei mir sofort alle Lebensfreude aus und bringen mich in einen Schwermutsanfall, daß ich manchmal mehrere Tage nicht leben oder sterben kann!

Der vergangene Monat war für mich der schlechteste Geschäftsmonat. Vor Ende des Monats kann ich also nichts abzahlen, andernfalls müßten Sie mir vormachen, einem nackten Menschen in die Tasche zu greifen!

In durchaus freundlichem Geiste
Ihr

Josef Stifferslinger

An den Herrn Landrat!

In dem Grenzstreit „Borkum"
kann ich leider die
hohe Verfügung des Herrn
Landrats nicht durch-
führen lassen, da die
ältesten Leute unseres
Dorfes vor einigen
Jahren gestorben sind.

Vorsteher Vitis II.

Mein Herr!
Ein ganz unver-
schämter Kerl
sind Sie!! Ein
Gauner, ein
Lump, der stets
vergißt, daß er
alles, was er ist,
durch mich ge-
worden ist!?!
Dr A. Moll

An mein Elektrizitätswerk

Ich soll heimlich Strom ent-
nommen haben?? Auf Ihr
Schreiben teile ich Ihnen mit,
daß mir die Sache ganz
neu ist! Desgleichen ist
mit Bestimmtheit anzu-
nehmen, daß mein verstorbener
Bruder dies ebenfalls
überraschen wird.

Ich hoffe nichts mehr von
Ihnen zu hören und bin
deshalb mit frdl. Grüßen

E. Keller.

Eingegangen
1 2. JU... 19...
Erledigt — Müller

für A III a!

Hochzuverehrendes Fräulein,
ich liebe Sie ganz unge-
heuer! Sie sind meine
Göttin! Würden Sie
mir gestatten, den Buch-
staben „ö" in ein „a"
umzuwandeln?
Ihr getreuer Sigismund.

Jede Blume sagt
Dir meine Liebe.

Aufsatz Nr. 3

Der Nutzen des Geldes

Eine Hauptbeschäftigung des Papiers ist das Geld. Wie könnte man sein Geld zählen, wenn man kein Papiergeld hätte?

An das
Wohnungsamt
am hiesigen Platz.

Ich habe eine Töchter
und zwei Söhne.
Wir alle sind so
beschränkt, daß wir
nur 2 Bettstellen
aufstellen können.

Dies bestätigt
mit freundlichen
Grüssen
Heinz Artus
Parkring 12

POSTKARTE

Familie
Karl Hub

7524 Östringen
bei Brühhal
Baden

Ich hoffe, daß in Euerem
schönen Opel der Urlaub in
Italien sehr schön wird.
Wenn noch Platz im Opel
wäre, würde ich sagen:
"Gott mit Euch!"
In alter Freundschaft
Elsbeth Finh

Deutsches Reich 6

WÜRZBURG 5.9.37

Zurück

Adressat verstorben.
Neue Adresse unbekannt!

R. Sep. 1937
7. Sep. 1937

Straße, Hausnummer,
Gebindeteil, Stockwerk

Herrn

Dr. Max

bei Brünhoul

Sehr geehrte Herren!

Auf Ihre gefällige Anzeige, durch die Sie einen Organisten und Chorleiter, Herrn oder Dame, suchen, möchte ich mich bewerben, da ich beides bereits mehrere Jahre gewesen bin.

Mit vorzüglicher Hochachtung!

A. Brückert
Am Münsterplatz 4 b.

KURZSCHILDERUNG DES BERUFLICHEN WERDEGANGES

(Zeitangabe / Firmen / Auftraggeber)

Bei Ausbruch des Krieges
mußte ich in's Feld.
Eine Schädelverletzung
ermöglichte mir dann
das juristische
Studium.

Heinz Hähnel

Verordnung—

Für Geburten sind die Wochentage Dienstag und Donnerstag— morgens 9–12 Uhr festgesetzt.

(Siegel)

An die Reichspost.

Betreff: Angebliche,
unflätige und rohe
Ausdrücke bei der
Montage im Hause
der Witwe Mina Rose.

Ich war bei der fraglichen Montage
damit beschäftigt, den Zuleitungs=
draht an den Hausanschluß anzu=
löten, als dem unter mir arbeitenden
JOHANN KÜPPERS etwas von
der glühenden Lötmasse von
dem Kolben zwischen Hals und
Kragen tropfte. Darauf rief
KÜPPERS mir zu:
„Lieber Friedrich, Könntest Du Dich
nicht ~~in~~ etwas in Acht nehmen?"

Hochachtend

Friedrich Schulze

Vorarbeiter

B. 7. Aug. 1936
Sachlich richtig
und festgestellt

Lieber Vater!

Ich melde Dir gehorsamst, daß ich gut untergekommen bin. In einem Monat sind es 6 Wochen, seitdem ich mich zum Schlachterbürschen erhoben habe. Mein Meister ist zufrieden mit mir. Er hat mich schon dreimal totstechen lassen und wenn ich mich gut halte, so wird er mich auch bald schlachten lassen.

In dieser Hoffnung grüßt Dich
Dein Heinrich

Entschuldigung

Erich konnte den
gestrigen Nach-
mittag nicht zur
Büchereistunde
gehen und das Buch
abgeben, denn er
hatte es im
Hause

Frau Eik

Sehr geehrter Herr Rektor!

Falls mein Sohn weiter-
hin so faul sein sollte,
möchte ich Sie bitten, ihn
in meinem Namen gründ-
lich zu verhauen.

Zu Gegendiensten gerne
bereit, zeichne ich

ergebenst

Franz Goggele

Sehr geehrte Frau
Lehrerin!
Bitte, Lassen Sie meinen
Sohn Hans heute kein
Englisch Lernen. Seine
Stimme ist noch so hei=
ser, daß er kaum
Deutsch sprechen kann.
Ruth Werth

An die
Gütige Zuhörer.

Ich brauche nun mein Geld,
Die ich in das alten Kauns
Musik muß mögen kann.
Ich nehme Euch zu der heutigen
Arbeit an um meine Not -
durst zu stillen.

Musik
12. Kirche
Begrüßung 7

Telefonnotizen

an _Geschäftsleitung / Herr Bohnenstiel_

==

es hat angerufen _Herr Ing. Müggel_

Tag / Zeit _10²⁰_

ruft zurück ☐

bittet um Rückruf ☒

Tel. N
_83287_

==

Bemerkung

_Es handelt sich hier um eines der
zahlreichen Patente, die nach Art
der Eintagsfliegen wieder in einem
Jahr erlöschen._

_Ho_

Duplikat

An das Finanzamt
München 13

Betrifft: Stundungsgesuch

Nachdem ich meine Umsatz=, Stempel=,
Einkommens=, Vermögens=, Hauszins=,
Grund=, Gewerbekapital=, Bürger=, Gewer-
beertrags=, Reichsflucht=, Lohnsummen=,
Hunde=, Getränke= und Tabak=, Auto=,
Kirchen=, Aufbringungs=, Einkommenzu-
schlag=, Kapitalertrag=, Börsenumsatz=,
Wertzuwachs=, Erbschafts=, Geschenk=,
Ausgleichs=, Versicherungs= und Erwerbs-
losensteuer nebst Krankenkassenbeiträ-
gen, Invaliden=, Angestellten=, Arbeits-
losen=, Lebens=, Feuer=, Einbruch=
Diebstahl=, Haftpflicht=, Berufsgenossen-
schaft=, Berufsschulgeld=, Handels-
kammerbeitrag=und Hypothekenzinsen bezahlt habe, bleibt mir nur noch das
Porto für diese Zeilen, und ich bitte
deshalb nochmals um weitere Stundung
der Ledigen=, Grunderwerbs=, Gesell-
schafts=, Wertpapier=, ~~Gesellschafts~~
~~Wertpapier~~ Wechselsteuer=, Verwaltungs-
gebühren, Zündwaren=, Zucker=, Bier=,
Schaumwein=, Salz=, Spielkartensteuer
und der Reichshilfe für notleidende
Aufsichtsräte.

In der Hoffnung, daß Sie meinem Stundungs-
begehren entsprechen, bin ich
mit freundlichen Grüßen

~~Steuernummer 3271/410~~

Richtigstellung !

Nicht meine Tochter
hat mir mit dem
Atlas auf den Kopf
geschlagen, sondern
diese mit demselben
jene !

Dies zur Steuer der
Wahrheit !!

Olga Desmond

Sehr geehrter Herr Rechtsanwalt!

Der Kläger täte besser daran
vor der eigenen Achillesferse
zu kehren, als den Boden
meiner wohlerworbenen
Ansprüche auszuschlagen!

Dies rät ihm
Frau
Irene Methfessel.

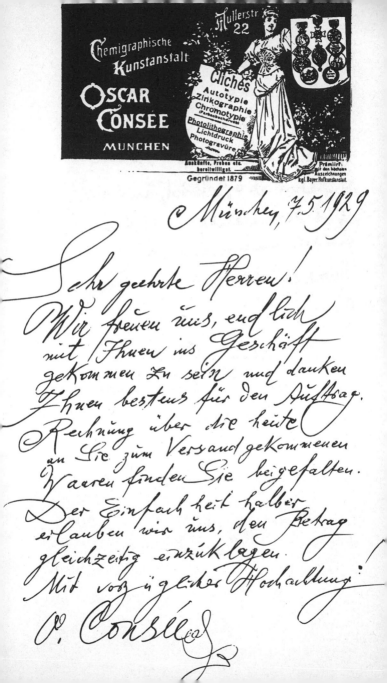

München, 7.5.1929

Sehr geehrte Herren!

Wir freuen uns, endlich mit Ihnen ins Geschäft gekommen zu sein und danken Ihnen bestens für den Auftrag. Rechnung über die heute an Sie zum Versand gekommenen Waaren finden Sie beigefalten. Der Einfachheit halber erlauben wir uns, den Betrag gleichzeitig einzuklagen. Mit vorzüglicher Hochachtung!

O. Conséle

Liebes Fritzchen!

Ich höre, daß Du keine Spargel essen willst!

Aber, ich sage Dir, wenn Du erst groß bist, und die Not kennenlernst, dann wird man Dir das Spargelessen schon beibringen!

Deine Oma
grüßt Dich und
Deine Eltern.

Entschuldigung

Meine Tochter kann am Montag nicht zur Schule kommen, das Schwein wird geschlachtet.

Alfred Fritzi

Nr. 7

Welchen Nutzen haben
wir von der Kuh?

Sie wird gegessen
und getrunken.

Die Jungfrau von Orléans

Die Schuld der Jungfrau
bestand also darin, daß
sie auf dem Schlachtfeld
einem jungen Engländer
das Leben schenkte.

Sehr geehrter Herr Monsch!

Auf Ihren Brief hin teilen wir
Ihnen mit, daß unsere Rathaus-
uhr r e g e l m ä ß i g
geht. Es fehlen nur die Zeiger!

Mit vorzüglicher Hochachtung!

Ratschreiber

Für
Städt. Fürsorgeamt

Mein Mann muß eine neue Hose
haben! In der alten habe ich
schon mehrere Male das
Gesäß geflickt, das hält mir
mein Mann jeden Abend vor.

Um geneigtes Wohl-Wollen
bittet
Frau Tina Meld

Schiffgasse 11

72 988

27. Mai 1929

An die
Fürsorgestelle

Beschwerde

Bereits vor 4 Wochen
habe ich in einen
Antrag auf Schwanger-
schaft um den
Besuch eines Beamten
gebeten.

Martha Markel

Kopie | 1 | 2 | | 4
| 5 | | | 8

Eing. VK   3. JULI 1972

Sa | | | me | ed
| | | | —

An den

Feuerwerkommandanten

<u>Mückenloch</u>

Allen tüchtigen Feuerwerkleuten, die
mir bei der Brandstiftung meines
Hauses behilflich waren, nachträglich meinen herzlichen Dank und das
Versprechen der jederzeitigen Gegen-
hilfe.

Jakob Hechtel

KARTEI NOTIERT März VI/3

An die

28. April 1930

Fürsorgeunterstützungs
— Kasse!

Die Kasse zahlt uns
M 46,— im Monat,
was noch nicht
einmal genug ist,
um unsere Notdurft
zu verichten.

Freundliche Grüsse

Emma Novotny

Werte Frau u. Gönnerin!

Teile Ihnen ergebenst mit
das ich meine ganzen
Bedürfnisse gerne in
einer wollenen Unterhose
zum Ausdruck bringen
möchte.

Herr Schrabbel
grüsst höflichst

Auskunftei — Detektiv
Schreib-Bureau
Arthur Krapp,
Hauptstrasse 111

Streng vertraulich

An die Frankfurter Bank
Frankfurt/Main
Frankfurter Straße 31

  Anfrage Martin Schlüz
betr.

Der Angefragte hat eine Ver=
tretung in künstlichem Dünger
und Schweinefutter; davon
lebt er seit einigen Jahren
mit seiner Familie.
Gegeben 4. Januar 1911 unter
Beidrückung meines Siegels.

A. Krapp.

Überwachungs-Institut
Heidelberg

Postkarte

DEUTSCHE POST
12 PFENNIG

AN DIE POLIZEI-
BESCHWERDE!
IN MANNHEIM

Alois Zwenger
geb.
11.3.13
Darmstadt

BESCHWERDE!

ALS ICH DEN ZWENGEN WEGEN
SEINEM RENITENTEN BENEHMEN
ZUR REDE STELLEN WOLLTE, SAGTE
ER ZU MIR „DU KANNST MICH AM....!
ALS DIES GESCHEHEN WAR, FÜHLTE
ICH MICH BELEIDIGT!

Zeuge?

MIT HOCHACHTUNG

Vogel Ottmar
MANNHEIM
R 7

Absender:

An die Polizei
Außenstelle Land II.

Das fragliche Schwein ist zweifel-
los mit dem mir gestohlenen
identisch. Es hat dieselben
schwarzen Flecken hinter den
Ohren, dieselben Augen und
Schlappohren, Kurzum sein
ganzer Kopf hat eine so auf-
fällige Ähnlichkeit mit dem
meinigen, dass eine Täuschung
ganz ausgeschlossen ist.

Wohlderselbe ergebenst
Karl Held.

Mittwoch
Dezember **31**

Silvester

53. Woche

Mit dem
abgelaufenen
Jahr bin ich
sehr zufrieden.
Es sind
wieder eine

Menge Mi Do Fr Sa
1 2 3 4 5 6
8 9 10 11 12 13
15 16 17 18 19 20
Schulden 22 23 24 25 26 27 von
28 29 30 31

Dezember

mir verjährt!

Die Deutschen
erhoben sich
gegen Varus,
weil er sie mit
dem Beil hin=
richten ließ und
das waren sie
nicht gewohnt.

Aufsatz Nr. 10

Im welchem Jahrhundert möchte ich leben?

In der Regierungszeit von Karl dem Großen. Dann bräuchte ich alles nicht mehr lernen, was nachher passierte.

Dänemark

Aus Dänemark wird
Butter eingeführt, weil
die dänischen Kühe,
unternehmungslustiger
und an technischer
Durchbildung unseren
Kühen überlegen sind

4. No -14.1. 52

Unglaublich oberflächlich!
Ich kenne niemand, bei dem
die Oberflächlichkeit so
tief sitzt wie bei Dir! .

No

Aufsatz

Der Mut der Türken
erklärt sich daraus, daß
ein Mann, der mehrere
Frauen hat, geneigter ist
dem Tode ins Antlitz zu
sehen, als wenn er nur
eine hätte.

Die Wüste Sahara

Einen Beweis haben wir
z. B. dafür, daß in Afrika,
wo sich heute die Wüste
Sahara befindet, früher
Wasser gewesen ist, darin,
daß die schwarzen Ein-
geborenen noch heute
in der Badehose herum-
laufen.

Der Wendekreis des
Krebses ist eine
schmerzhafte unheil-
bare Krankheit.

Ein erlebnis -
reicher Sonntag

Die Wirtin brachte
den Kuchen in
das Zimmer und
alle setzten sich
darauf.

Als ich einmal sehr krank
war, hat mir mein Vater
am Bett aus einem schönen
Buch vorgelesen. Dann
konnte ich prima
~~Kotzen~~
brechen.

Hotel-Restaurant Rheingold
Bergheimer Straße Nr. 61.

An den Gesangverein
Frohsinn - Eintracht

Auf Ihrer Fahrt nach
Bruchsal wollen Sie hier
am Sonntag in meinem
Gasthaus Rast machen.
Eine Bezahlung für den
Saal wird nicht verlangt,
da ich durch das Verzeh-
ren der Gäste reichlich
entschädigt werde.

Reinhard Kröbel
Gastwirt

4
(Zeilenzahl)

Mk. 8 Milliarden

% 1

Nach Korrektur druckreif

Bezahl 21

Offertgebühr 2 Milliarden

Mk. 10 Milliarden   21. 3. 1923
(bezahlt)

einspaltig
Kompreß

Die Anzeige soll lauten:

*Ich verpflichte mich,
sechs Sonntage hinter-
einander, mit einer
Dame auszugehen,
gegen ein Paar braune
Leder-Herrenstiefel,
Größe 41. Offerte unter
HX 1251*

田中食品

TANAKA SHOKUHIN CO., LTD.

2chome, Higashikannon-cho, Hiroshima-shi, Japan.

Firma
Borg-Warner - Stieber

D-6900 Heidelberg
Postfach 147

Sehr geehrte Herren,

wir jetzt Deutsch schreiben
Weil wir jetzt haben einen Deutsch-
Meister und bestehlen

50 Runde Sofas

so umgehend wie geschwind.

Mit freundlichen Grüßen

M. SHOKUHIN

was will der ?
Vermutlich 50 Kugellager
geprüft 2.8.72

29. 8. 1901

An die Redaktion

Eingesandt.

Gestern war ich mit meiner
Schulklasse in Meißenheim
bei Lahr, die Grabstätte der
Friederike Brion, der Jugend-
geliebten Goethes, besuchend. Der
Grabstein trägt die Inschrift:
„Ein Strahl der Dichtersonne fiel auf sie,
So reich, daß er Unsterblichkeit ihr lieh."
Der Kirchendiener, der uns, vor dem
Stein stehend, bemerkte, gab dann
dazu folgende Erklärung:
„Schauen Sie, da ruhet die
Friederike, das ist dem Goethe
seine Bekanntschaft gewesen. Wie
Sie auf dem Stein lesen können,
hat sie ein Sonnenstich ge-
troffen, und an dem hat sie
sterben müssen!"

Oberlehrer Wilhelm Gärtner
Mannheimer Straße 120

Klein-Anzeigenbestellschein

An die

Anzeigenabteilung der
Volksgemeinschaft
Heidelberg

Nachstehende Anzeige soll _1_ mal am _3. 4. 1934_ erscheinen

Bezahlt ~2. April 1934

Text:

Bitte deutlich schreiben

Fleißige Mädchen,
in Steppdecken ein=
genäht, finden
dauernde Beschäfti=
gung.
Max Düsseli

Name _Max Düsseli_

Wohnort, Straße _Ladenburgerstr. 12_

Datum _1. 4. 1934_

~ **1. April 1934**

Nachlaß bei 2 mal
Nachlaß bei 3 mal

Schönau, 24.1.1932

Sehr geehrter Rundfunk!

Zu meinem 80. Geburtstag am gestrigen Tage gratulierte mir der Rundfunk und dann sang Caruso die Rigoletto-Arie. Ich selber hätte es vielleicht nicht gemerkt, aber mein Neffe studiert Musik, und er hat es mir gesagt: es war gar nicht Caruso, der zu meinem achtzigsten Geburtstag gesungen hat.

Es war — Sie sollten sich was schämen — eine Grammophonplatte!!

Frau Eva Wanner, Ww.

Dem Wohnungsamte!

Besonders der Umstand, daß
meine Schwiegermutter gestorben
ist, erheischt dringende
Abhilfe

Inge Lotz

Hildastr. 3

Reisebericht Nr. 112

Vertreter: H. Sauer

Berichtsort: Darmstadt

Berichtsdatum: 24.7.72

Dem Bauer Hudram Halgi
Neustadt, Winkerstraße 11,
habe ich unsere Melk-
maschine
„Zipf-Zapf 10" verkauft.
Die einzige Kuh, die er
besitzt, habe ich in
Zahlung genommen.

Sauer

Anlagen:

2 Aufträge

Eingesandt.

Seufzer.

Es gibt zwar Bedürfnis-
anstalten für Frauen, aber
entweder sind Sie voll oder
geschlossen.

Da muß man sich auf die
Hinterbeine setzen.

Frau Lina Peppel.

Liebe Mizzi!

Die Gschicht war nämlich
ganz anders. Mein seliger
Mann hat nicht hie und da
ein kleines Räuscherl ghabt,
sondern er hat hie und da
kein Räuscherl ghabt.

Liebe Bussi Deine

Mimi

<u>Dem Wohlfahrtsamt</u>

Erklärung!

Mein Mann macht
2. Zt. keine Geschäfte.
Wenn er mal ein
Kleines macht, dann
sind es nur
Groschen.

Lotte Tüpfel
Hans - Albers - Platz 3, III.

Deutsche Bundespost

Verzöge

12   1.8.9

(Aufgabe-Nr.)   (Wortzahl)   (Aufgabe

Via
(Leitweg)   (Gebührenpflichtige Dienstvermerke)

Herrn Rudi Mayerbergscherler
(Name des Empfängers)

Winkelstr. 12
(Straße, Hausnummer usw.)

Köln
(Bestimmungsort – Bestimmungs-TSt)

Leopold leicht erkrankt,

Beerdigung Donnerstag.

Alwine

DM ...... Pf	/ ... Wörter geändert ...		Hinweise des Annat
DM ...... Pf	... Wörter gestrichen ...		(Ungenügende Ansch
5 DM 40 Pf	/ ... Wörter hinzugesetzt ...		AUF DIENSTSCHL

Holmen, 21.2.1926

Aktenzeichen: G 146 a

Sehr geehrte Frau Weinerl!

Wir teilen Ihnen mit, daß die
Grabstätte neben Ihrem im
Jahre 1911 verstorbenen Ehe-
mann anderweitig besetzt wird.
Wir bitten Sie höflichst,
Ihren Gatten hiervon in
Kenntnis zu setzen.

Mit vorzüglicher
Hochachtung!

Ratschreiber

Bittschrifteneingabe

Eilt!

Ich bitte um Erhöhung der Unterstützung. Am 2. Juli ist meiner Frau ein Kind geboren worden. Ich weise darauf hin, daß ich aus Unkenntnis gehatndelt habe.

Michael Dischinger

Allerdurchlauchtigster Großmächtigster Kaiser und König, Allergnädigster Kaiser, König und Herr!

Ich bin in tiefster Ehrfurcht geboren im Jahre 1856 und erscheine mit tiefer Huld vor Euerer Majestät. Ich habe 6 Kinder, das älteste ist 19 Jahre. Die anderen sind alle jünger. Diese 6 Kinder habe ich, nachdem ich meine Militärzeit abgebüßt habe, aufgezogen mit dem mir von seiner Majestät allergnädigst verliehenen Stelzfuß. Gestützt auf das edle Herz Euer Majestät wanke ich zum Thron und bitte, mein Altertum angemessen zu versorgen.

Alleruntertänigst gehorsamster
Markus Üllacker

Aus besonderer Veranlassung weisen
wir darauf hin, daß nach einem im Ein-
verständnis mit dem Herrn Finanz-
minister ergangenen Erlaß des Herrn
Ministers für Wissenschaft, Kunst
und Volksbildung diejenigen Lehr-
kräfte, die ein zur Anstellung als
Oberschullehrer oder Oberschul-
lehrerin einer höheren Lehranstalt
berechtigendes Zeugnis, wie Turn=,
Zeichen=, Gesang=, oder Mittelschul-
lehrerzeugnis (Mittelschullehrerin-
zeugnis) oder ein zur Anstellung als
Oberschullehrer für wissenschaftlichen
oder technischen Unterricht befähi-
gendes Zeugnis erworben haben und
die endgültige Anstellungsfähigkeit
besitzen, im Gegensatz zu der Vor-
schrift in Ziffer 75 der Preußischen
Besoldungsvorschriften, die nur für
die bis zum Erlaß vom 28. August 1922-
U II, W I an höheren Lehranstalten
zulässige Anstellung von Elementar-
lehrern Gültigkeit hatte, ohne
Rücksicht auf Lebensalter, d. h. auch
vor dem v o l l e n d e t e n 27.

Lebensjahr, in einer freien, zur Be-
setzung durch das Patronat freige-
gebenen und der Anstellungssperre
nicht mehr unterliegenden Stelle
angestellt werden können.

Provinzialschulkollegium
Berlin=Lichterfelde
2.1.1925

Radfahrer=Ersatz=Schwadron 18

Stuttgart, 10. März 1939

Dienststrafbescheid Nr. 87

Ich bestrafe den Reiter Werner
Bamberger, Radfahrer=Ersatz=
Schwadron 18, Stuttgart, mit

2 Tagen verschärftem Arrest

weil er die Kaserne verliess,
um einen Hering ohne Halsbinde
zu kaufen.

Rad.=Ers.=Schwadr. 18

Sauter

Rittmeister und
Schwadron-Chef

10. März 1939

Sehr geehrter Herr Doktor

Bitte kommen Sie doch so
bald wie möglich. Ich
habe das Reißen! Ich
kann meine Arme
kaum über den Kopf
bringen; und mit
den Beinen ist es
genau so.

Ihre sehr kranke
Babette Büddemann
Almendstr. 14

Liebe Frau Meyer!

Jetzt müßen Sie uns
wirklich bald mal einen
Gegenbesuch machen.
Ich bin Ihnen schon
so oft lästig gefallen
und sie mir noch nicht
ein einziges Mal.

Frau Belling

Leserzuschrift

Sehr geehrte Zeitung, bitte veröffentlichen Sie in der Lokal-Chronik Ihrer sehr geschätzten Zeitung folgendes: Die Eheleute Christian Mohr feierten gestern Ihren siebzigsten Geburtstag. Mögen sie noch oft diesen Tag gemeinsam verleben. Herr Hauptlehrer Hirsch hielt die Festrede schneidig und mark durch-dringend mit einem Blick rückwärts.

Otto Schäufele
Reporter

Für das
hochverehrliche
Finanzamt

Ich bin zu hoch eingeschätzt.
Ich habe ein Einkommen von
1200 Mark, eine Frau mit sechs
Kindern & einem Hund mit
48 Mk. Steuern. Unter solchen
~~traurigen~~ Familienverhält-
nissen ist das Leben sauer.
Ich habe angefangen mit Schafen
in mäßigem Umfang zu han-
deln, gleichfalls mit meinen
Söhnen. Meine Schwieger-
mutter lebt noch. Immer
bei mir, aber gegen Hagel
bin ich versichert.

Franz
Klemm, R. Wagnerstr.

Herbert, Kieser, geb. 2. Januar
1909 ist am 7.10.1931 in der
Badgasse von Banditen in seinem
Auto überfallen und erschossen
worden. Als Glück ist es
anzusehen, daß Kieser all
sein Geld und seine Wertsachen
vorher zur Bank gebracht
hatte, so daß er vor größerem
finanziellen Schaden bewahrt
blieb.

Friedrich Ha
Polizeiwachtmeister
8.10.1931

Es wählen bei uns
Urahne, Großmutter,
Mutter und Kind, d.h.
alle Deutschen beiderlei
Geschlechts vom 20. bis
zu ihrem letzten Lebens=
jahr, wenn sie über=
haupt so alt werden.

2.5. 1928

An das Wohnungsamt

Da meine Frau und ich elternlos
sind, war uns die Möglichkeit
genommen, bei Ihnen zu
wohnen. Jetzt ziehe ich mit
meiner Frau Klara von Wochen=
bett zu Wochenbett.
Nocheinmal möchte ich Sie,
meine Herren, bitten, mir
<u>dringend</u> eine Wohnung zu
besorgen, welche auch den
Unterschied zwischen Mädchen
und Jungen unterscheidet,
ehe es zu spät ist. Denn meine
Familie ist tadellos und
fleckenrein wovon sich jeder
der Herren in jeder Hinsicht
und überall überzeugen
können.

Georg Bechtel

z. Zt. Kornmarkt 41/a
Hinterhaus, 3. Treppen

Gemeinde Berndorf

Wohlgeboren Frau Direktor!

Ihre gefl. Anfrage
betreffend.

Die Luft in unserem Dorf ist
so gesund, daß Sie in kurzer
Zeit 100 Jahre alt
werden.

Indem wir uns der Hoffnung
hingeben, Ew. Hochgeboren
bald hier begrüßen zu
können, zeichnen wir als
Ew. Hochgeboren
gehorsamster

Paul Lensing Bürgermeister

23.11.1908

<u>Einspruch</u>

Die von Staatsanwalt
mehrfach angezogenen
Damenstrümpfe kann
man dem Angeklagten
doch nicht gut in die
Schuhe schieben, da
er nach Lage der Sache
berechtigt war, sie
als herrenlos anzusehen!

M. Leeser RA

Heidelberg, den 31. Dezember 1929.

Notariat Heidelberg II:

Seine Königliche Hoheit
der Großherzog
von Baden

haben Sich gnädigst bewogen gefunden,

Franz Ferdinand Quaaß

das Ritterkreuz zweiter Klasse
mit Schwertern des Ordens vom
Zähringer Löwen zu verleihen.
Über den rechtmässigen Besitz dieser
Auszeichnung wird die gegenwärtige
Urkunde ausgestellt.

Großherzogliche Ordenskanzlei.

Karlsruhe,
den *22.3.1909*

Löschung des Wortes
Hollberg

Zusatz des Wortes
Hollberg

genehmigt
Hollberg

Geehrte Schriftleitung!

von Peter Mühlen, Albstr. 124

Erlaube mir nachträglich die Mitteilung zu machen, dass ich schon öfter verunglückt bin aber bis jetzt in Ihrem Blatt noch nie nicht etwas darüber gelesen habe, wie es bei landfremden Leuten heute der Fall ist wenn einer mit seinem StinkKasten-Auto aus Raserei verunglückt. So pasirte mir nähmlich erst am 27.3.1926 dass ich beim Langholzverladen verunglügte, wo es mir 6 Zähne herausschlug sowie die anderen alle heute noch nicht fest sind. Zum zweiten ist am 16.4.1926 meine liebe Frau gestorben, welche Sonntag mittag 3 Uhr beerdigt wurde. Obwohl sie auch in der Stadt genug bekannt war. Heute gibt bei einem solchen Fall sich aber niemand zu erkennen. Sogar am 9. Juli 1925 hätten wir unsere silberne Hochzeit gefeiert wenn nicht Vater Staat unsere sauer verdienten Pfennige auch noch zu nichts gemacht hätte (traurig.) Zum Andern besitzen wir, solange wir hier sind, Ihr geehrtes Blatt, und zwar schon mindestens 20 Jahre ununterbrochen! aber von solchen Sachen habe ich noch nie etwas gelesen! Soviel zur Kenntnis: Werde meine Konsekwensen auch daraus ziehen. Sonst hat es ja Klatschweiber genug die alles zutragen aber nur nicht wo es angebracht wäre.

Wohlzuverehrender Herr
Schauspieldirektor!

Sie bieten mir an Ihrer
Wanderbühne die Rolle
des Hamlet an; dafür
wollen Sie mir freundlicher-
weise für die Auf-
führung 20 Reichs-
mark zukommen
lassen. Ich kann aber
— schon im Interesse
der Rolle — nicht auf
Ihr Anerbieten eingehen:
der Hamlet darf
nämlich nicht wirklich
verrückt sein.

Trotzdem mit
kollegialem Gruß
Otto Braun.

Finanzamt (Finanzkasse) Heidelberg
zugleich Umsatzsteuerstelle der Oberfinanzdirektion Karlsruhe

Buchhalterei ....

560

Firma
Herrn
Frau
Fräulein   Emilie Wagner

                6400 Heidelberg
                Webergt. 10

Den   22/1/67.

StNr./SollbNr.   331o/525

Sie hatten im Jahr 1966 ein Einkommen
von DM 00,—. Die Steuerbehörde hat
Ihre Angaben geprüft und für richtig
befunden. Auf Grund der gesetzlichen
Bestimmungen werden Ihnen vorgeschrieben
an Einkommensteuer DM 00,—. Diesen
Betrag haben Sie mit beiliegender
Zahlkarte binnen 14 Tagen abzuführen,
widrigenfalls der Betrag zwangsweise
eingetrieben werden wird.

R. Wolf

BOCKAU

Rundschreiben an die p.p. Einzel-
händler und Verkäufer.

Der Vertrieb unserer Lacke er-
folgt fortan durch eigene Reisende.
Dieselben sind in trockenem Zustand glänzend und hart wie Glas,
kriegen keine Risse und kommen
nur in Flaschen — auf dem Bauch
mit unserer Firma versehen —
in den Handel.

Mit ergebenster Hochachtung

R. Wolf
Bockau.
Lacke en gros
et détail.
Lieferung auch an Beamtenvereine.

Bürgermeisteramt
Langenbrücken/B.

-7. Okt. 1923

Behördliche Beglaubigung:

Das Bürgermeisteramt bestätigt
hierdurch, daß die Bäuerin

Mathilde <u>M o c h</u>

von Ratten befallen ist.
Da dieselbe einen anständigen
Lebenswandel führt,
kann man ihr Gift geben.

Urban Bender
Bürgermeister

1/2 ℔ Rattferrex
verabfolgt:

-9. Okt. 1923

Poſtkarte

An das Wohlgeborene
Fräulein Best elschwender
Sauhalterin beim Tannenhofbauern

Emmendorf

in über Holzkirchen

(Straße und Hausnummer) Wohnung

B E R I C H T

Mit erfrorenen Füßen auf-
gefunden wurden gestern
von Beamten der Schutz-
polizei die zwei Gebrüder
Fridrich von hier. Letztere
hatten in einem Strohdiemen
genächtigt und wurden hier
von der herrschenden Kälte
überfallen. Beide wurden
dem Krankenhause zugeführt,
und es besteht die Gefahr,
daß ihnen die erfrorenen
Gliedmaßen, wenn nicht gar
das Leben erhalten werden
kann.

Adolf Martin

6. Pol-Revier
Aldei...
2 NOV 1951

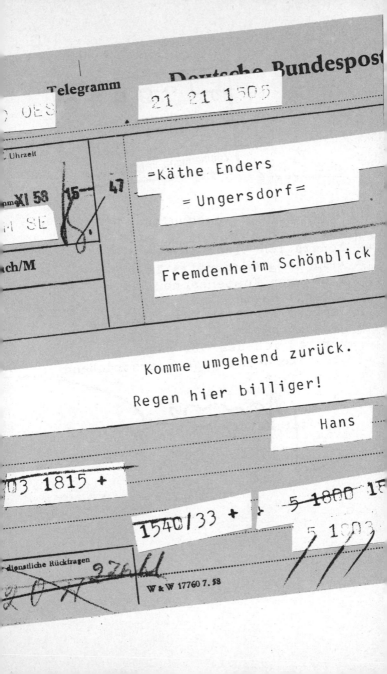

Telegramm   **Deutsche Bundespost**

21 21 1505

Uhrzeit

=Käthe Enders

= Ungersdorf=

Fremdenheim Schönblick

Komme umgehend zurück.

Regen hier billiger!

Hans

03 1815 +

1540/33 +

5 1800

5 1903

dienstliche Rückfragen

W & W 17760 7. 58

Bericht 13
=========

Gegen den Kostenschuldner
August Schultze
konnte ich nicht vorgehen,
weil er sich bereits in einer
anderen Kostensache
erhängt hatte.
Nachdem ich diese Feststellung
gemacht hatte,
verließ ich den Ort des
Schreckens und ging haarsträubend
nach Hause.-

O. Peter Meiser

Wer sich nicht schämt,
hier Unrat abzuladen,
kann sich von der
Gemeindevertre-
tung eine Bescheinigung
holen, daß er ein
Schwein
ist.
Gemeinde
Eidelstadt/Holstein 1932

Heute mittag nahm uns der
Allmächtige unsern lieben
Kameraden, den Jäger zu
Pferde Hermann Graeser in-
mitten des Dienstes. Treu
seinem Fahneneide erhielt
er beim Futterschütten einen
Hufschlag. Sein Andenken
wird bei uns nicht verlö-
schen.

Die Offiziere, Unteroffiziere
und Mannschaften der 4. Eska-
dron Jäger-Regiments zu
Pferde Nr. 6.

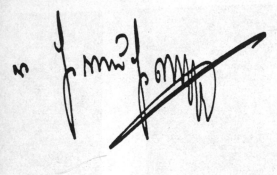

6.9.1912

Lebenslauf

Mit 10 Jahren war ich
vollweise. Ich war schon
in früher Jugend sehr
schwungvoll, wurde aber
später zurückaltender.
Zum Zwecke des geldver=
dienens spielte ich in Wirts=
häusern auf, wobei ich Ge=
dichte vorlas. Ich habe
beste Referenzen in
jeder Hinsicht, beson=
ders was den genuß
geistiger Getränke anbelangt.

Ottokar Melies

Rundschreiben an alle Bürger
von Milwaukee !

Gestern starb Mr. John Brown, Hut-
fabrikant und Bürger von Milwaukee.
Er wurde von jedermann, der ihn
kannte und mit ihm in Geschäfts-
verbindung stand, hochgeschätzt.
Mr. Brown war ein Ehrenmann und
ein genialer Hutmacher. Seine
vorzüglichen Eigenschaften wurden allgemein anerkannt, ebenso
wie die Qualität seiner Hüte, das
Stück zu zwei Dollar. Der Ver-
ewigte hinterläßt eine trostlose
Witwe und einen großen Vorrat an
Winterhüten, die jetzt zum Er-
zeugungspreis abgegeben werden.
John Brown, verließ diese Welt
gerade in dem Augenblick, da er
ein riesengroßes Lager von Filz
angekauft hatte, so daß seine Witwe
in der Lage ist, die ganze Stadt
samt der Umgebung mit einzigartig
gutenHüten zu versorgen. Frau Brown,
von tiefem Schmerz erfüllt, wird das
Geschäft des Verstorbenen unter
derselben Firma weiterführen und
alle neuen Kunden reell und
kulant bedienen.

Die Geschäftsleitung

Zeugenaussage der Frau Alwine
Eßwein, geb. 8.3.1911

Als ich die Wohnung betrat,
bewegte sich etwas unter
dem Bett. Frau Vogel
sagte, es wäre der
Mann, der die Wäsche
bringt.

27. Juli 1932

Dienststrafbescheid Nr. 106

Der Oberreiter

P r e t z k e , Aloys

von der **Kavallerie=Ersatz=Abteilung 18.**

wird mit

2 Tagen verschärftem Arrest

bestraft, weil er vom
Unteroffizier vom Dienst
nach Zapfenstreich
mit einem Mädchen vor der
Kaserne stehend angetroffen
wurde, anstatt im Bett zu liegen.

, den 29. Jan. 19 41

Din A7. Form. 23 b.
Druckerei Gen. Kdo. V Stuttgart.

Rittmeister u. Abt.=Adjutant

Das Fortschreiten
in der Kultur ist
verboten!
Die Forstverwltg.

Die Anrufschranke
mit
Wechselsprechanlage
Posten 12
wurde fernmelde-
und sicherungs-
technisch
so geändert, daß sie
von
20.45 Uhr
bis
8.16 Uhr
in geöffnetem
Zustand verschlossen
ist.

Oberrheinische
Eisenbahn-Gesellschaft
Betriebsamt
Weinheim

Unfallbericht:

Anscheinend ist die Leiche
die Böschung hinaufgeklettert
und dabei verunglückt.
Die Tragik dieses Unfalls
wird noch bedeutend
vermehrt durch den Um-
stand, daß der Tote aus
Hirschhorn stammt.

Otto Ingele
Reporter für „Tageblatt",
zur besonderen Verwendung

Aufsatz Nr. 3 „Der Harz"

Als im Harz die Bergwerke kein Erz mehr lieferten, klammerten sich die Bewohner desselben an die Kanarienvögel und gebrauchten diese als Hebel zur Selbsterhaltung. Die Bewohner dort ernähren sich von Holzschnitzereien, daß sie davon nicht fett werden, ist selbstverständlich.

Martin Bach, 6. Klasse, 22. April 1904

Polizeiverordnung.

Während der Sommermonate
müssen von Beginn der
Dunkelheit ab alle
Läden geschlossen und alle
Schaufenster verhängt
werden. Die Dunkelheit
tritt ein, sobald die
städtischen Laternen
zu brennen anfangen.

Wilhelm

14. Juni 1907

Dr. J. Rießer
Geh. Justizrat, Berlin.

Ich bitte Strafantrag gegen
mich zu stellen, da ich in der
rechtmäßigen Ausübung
meines Amtes gehandelt und
mich dadurch lächerlich
gemacht habe.

Dr. J. Rießer

Aufsatz Nr. 6

Ich helfe in meiner Familie

Meine Mutter macht in ihrer Freizeit Laufmaschen und ich trage
 aus.

2) Meine Großmutter trägt
Zeitungen aus und dabei muß
sie sehr früh aus den Federn steigen. Dabei helfe ich ihr manchmal, dann geht es schneller.

Hurra, wer machen einen
Familienausflug!

Wenn man sich zu
zweit aus dem Zug hinaus
beugt, wie es angeschrieben
ißt, kann einen leicht der
Kopf abgerissen werden.
Dann hätte man der ganzen
Familie die Reise schön
verpakt, und allein kann
man sie auch nicht mehr
gut forbeken. — 3 — geschmiert

Die Arbeit ist wieder bodenlos
schlecht ausgefallen! Das
fängt schon damit an,
daß am Ende der Punkt
fehlt!

Glückliches Dankschreiben.

Unsere Tochter litt infolge Rippenfellentzündung und Brustwasser an Auszehrung. Herr Magnetopath Pfarrer, Franz, Markus, heilte diese vollständig und ist heute wieder ein blühendes Mädchen.

Daniel Sindel
und Frau

COBLENZ A. RH.
Dorotheenstraße 30
Tel.: Zentrum 9755-59 · Telegramm-Adresse: Seeschuppe

Sehr geehrter Herr,

auf unserem Flaschenetikett
steht zwar, daß Sie bei Nicht//
erfolg Ihr Geld zurück ver=
langen können.

Nirgendwo aber steht
geschrieben, daß Sie es
auch bekommen.

Mit vorzüglicher
Hochachtung

J. Beck

Ein Begräbnis

Hinter dem Sarg ging der Neffe des Verstorbenen als einziger Erbe. Dann kamen die Leid-tragenden.

Universität zu Freiburg i. Br., Baden.

<u>Befund</u>

Patient <u>Franz Schlosser</u>
sieht auf Verlangen
des Herrn Professor
Wiedersheim weiße
Mäuse

Prof. R. Wiedersheim

Direktor des Instituts.

Freiburg i. Br.,

den 1ten Maerz 1908

Inniger Dank!

Mit Gottes Beistand und der
Hilfe der Hebamme Frau
Dietaler wurde meine liebe
Frau von einem Idnäblein
schwer, aber glücklich ent=
bunden.
Möge der liebe Gott meine Frau
bald wieder gesund machen
und andere vor einem ähnli=
chen Schicksal bewahren.

Karl Kühne,
     Wiesental

den Briefkasten
     geblatt"

HEIDELBERGER TAGEBLATT
Gmk 4.
6900 Heidelberg 1
Märzgasse 20
Postfach 850

ch interessiere mich lebhaft
für z w e i Damen und möchte
eine von beiden gerne heiraten.
Die eine Dame, die aus Sachsen
stammt, ist sehr hübsch, die
andere hingegen, aus der Schweiz,
ist sehr reich.
Welche soll ich heiraten?

*Otto Henschele
Max Planckstr. 8 g*

A n t w o r t :

Warten Sie doch ab, ob Sie
nicht noch eine Dame aus der
Sächsischen Schweiz kennen
lernen!

Beschluss:

Das Beschwerdegericht
hat die Identität des
gepfändeten Schweines mit
dem Richter erster
Instanz als erwiesen
angenommen.

gebühr bezahlt 7.7.1910

...otokoll

...s ich zur Namens-

...eststellung schritt

...agte der Be-

...chuldigte

Ottmar Angern,

ich sei ein Esel.

Letzteres kann nur

das ganze Dorf

bestätigen.

Feldhüter Bender

Liebes Fräulein Agnes!

Ich mißbillige die konventionellen Lügen.

Wenn Sie, verehrtes Fräulein Agnes, mich zu vielen Leuten sagen hören: " Ich bin ganz entzückt, Sie zu sehen!", so entspricht diese Bemerkung in jedem Falle der Wahrheit.

Ich möchte nähmlich nicht blind sein.

Ihr getreuer

[Unterschrift]

Dienstag, 15. Sept. 1903
Carl-Peters-Farm
Deutsch-Ostafrika

Lieber Hellmuth,
gestern habe ich mich mit dem
ehemaligen Menschenfresser
Maori unterhalten. Und
meinte er, daraufhin ange-
sprochen, entrüstet:
»Wir waren keine
Menschenfresser! Wir haben
doch nur die Köpfe
gegessen!«

Herzliche Grüße
Dein Freund Ferdl Hut

Kuckucksuhr mit Wachtel
Reklame der Jahrhundertwende
Originalausgabe, herausgegeben von Emil Waas
dtv 448

Erwarte Näheres unter vier Buchstaben
Kleinanzeigen und Pressenotizen der Jahrhundertwende
Originalausgabe, herausgegeben von Emil Waas
dtv 569

Satirisches von Ephraim Kishon

Ephraim Kishon:
Der seekranke
Walfisch

dtv

Ephraim Kishon:
Der Fuchs
im Hühnerstall
Roman

dtv

Drehn Sie sich um,
Frau Lot!
192

Der seekranke Walfisch
oder Ein Israeli auf
Reisen
490

Wie unfair, David!
708

Pardon wir haben
gewonnen
Mit Cartoons von Dosh
773

Der Fuchs im
Hühnerstall
813

Nicht so laut
vor Jericho
989

Der Blaumilchkanal
993

Salomos Urteil –
zweite Instanz
1038

Kein Applaus für
Podmanitzki
Mit Zeichnungen von
Rudolf Angerer
1121

Cartoons

Thelwells
vollständiges
Hunde-Kompendium
Cartoons

dtv

Chaval:
Sie sollten
weniger rauchen
814

**Don Dekker/
The Tjong Khing:**
Der Rebbe
Deutsche Erstausgabe
1118

Paul Flora:
Auf in den Kampf
859

Gerard Hoffnung:
Hoffnungslos
514
Vögel, Bienen,
Klapperstörche
Hoffnungs Sprößlinge
630
Hoffnungs Potpourri
900

Der große Mordillo
Cartoons zum
Verlieben
1288

Ronald Searle:
Das eckige Ei
984

Sempé:
Um so schlimmer
784

Jules Stauber:
Leben und leben lassen
Originalausgabe
1225

Thelwells
vollständiges
Hunde-Kompendium
1046
Thelwells
Reitlehre
1175